Peau d'Âne

raconté par **MARLÈNE JOBERT**

EDITIONS ATLAS

Éditions Glénat
Services éditoriaux et commerciaux :
31-33, rue Ernest-Renan
92130 ISSY-LES-MOULINEAUX

© Éditions Atlas, MMIV
© Éditions Glénat, pour l'adaptation, MMVIII
Tous droits réservés pour tous pays

Avec la participation de Marlène Jobert
Illustrations : atelier Philippe Harchy
Photo de couverture : Éric Robert/Corbis

Achevé d'imprimer en août 2008 en Italie par l'imprimerie Eurografica
Via del Progresso, 125
36035 Marano Vicenza
Italie
Dépôt légal : août 2008
ISBN : 978-2-7234-6529-8

Il était une fois un roi et une reine qui vivaient très heureux. De leurs amours était née une petite fille qu'ils adoraient. Cette enfant tenait de sa mère ses qualités de cœur et son exceptionnelle beauté. C'était un vrai bonheur que de les voir tous les trois ensemble.

Le palais royal était magnifique, et l'on venait de très loin pour en admirer les hautes fenêtres, les salles immenses et les jardins.

Ce qui étonnait surtout les visiteurs, c'était que la plus somptueuse des écuries n'était pas destinée au plus rapide ou au plus noble des chevaux, non, mais à un âne !

Cet animal, bien que d'apparence très ordinaire, était loin d'être banal ; au lieu de laisser sous lui des crottes, comme tous les ânes, il couvrait la nuit sa litière d'étincelantes pièces d'or : il suffisait de venir les ramasser tous les matins.

Quelle fabuleuse source de richesse pour le royaume !

Tout allait donc très bien, jusqu'au jour où la reine tomba gravement malade. Aucun médecin ne parvenait à la soigner, et le mal progressait sans cesse.

La reine devenait de plus en plus faible ; le roi priait de toute son âme pour qu'elle guérisse, mais, hélas, son état empirait toujours. Un matin, se sentant mourir, elle fit venir son époux auprès d'elle et lui murmura :

- *Mon très cher époux, si vous souhaitiez vous remarier un jour...*

Le roi l'interrompit aussitôt pour lui déclarer qu'il ne pourrait jamais.

Avec un pâle sourire, elle reprit :

- *Le royaume aura besoin d'une reine. Mais promettez-moi de ne prendre pour épouse qu'une femme plus belle que moi.*

Alors, en larmes, le roi promit, et peu de temps après, la reine mourut dans ses bras.

Pendant des années, le pauvre homme fut inconsolable, mais sa douleur, avec le temps, s'atténua un peu. Et un jour, ses conseillers lui annoncèrent solennellement qu'il fallait au royaume une nouvelle reine. Ils ajoutèrent ensuite qu'un petit frère ou une petite sœur serait souhaitable pour la princesse, qui était devenue à présent une ravissante jeune fille. Le roi leur fit part de la promesse faite à sa chère épouse et assura qu'il lui serait impossible de trouver femme plus belle.

Alors ses conseillers lui présentèrent les plus jolies dames du royaume. Elles étaient toutes vêtues magnifiquement, certaines étaient même très charmantes, mais pas une n'égalait la beauté et la grâce de la reine tant regrettée. Le roi ne se décida donc pour aucune d'entre elles.

Or voilà qu'un matin, en se promenant dans les jardins du palais, le roi vint à croiser sa fille. Il se sentit touché comme jamais encore par la pureté de son regard et de son visage d'ange. Il trouva même qu'avec l'éclat de la jeunesse sa beauté surpassait celle de la reine, sa mère. Fasciné et séduit par cette apparition, il déclara tout net à sa fille qu'il souhaitait l'épouser.

En entendant cela, la princesse manqua s'évanouir.

- Père ! Vous n'y pensez pas ! Un père n'épouse pas son enfant !

Cependant, le roi insista tant que la jeune fille, bouleversée, s'enfuit demander conseil à sa marraine, la fée des Lilas.

- *Un père, même roi, n'a aucun droit d'agir ainsi,* lui dit-elle en la rassurant.

Pour échapper à cela, exige donc de lui qu'il t'offre une robe couleur du temps et, surtout, dis-lui bien que tu ne l'épouseras qu'à cette condition.

La jeune princesse remercia sa marraine la fée et suivit ses conseils. Le roi rassembla aussitôt les meilleurs artisans du palais et les menaça de mort s'ils ne parvenaient pas à broder une robe couleur du temps.

Le lendemain, la robe était prête. Elle resplendissait comme un ciel d'azur au printemps. La princesse, fort embarrassée, retourna voir la fée qui lui recommanda :

- *Demande-lui, cette fois, une robe couleur de lune.*

Le roi rappela ses artisans et leur ordonna de s'activer à sa confection. Le lendemain même, la robe fut présentée : elle était pareille au clair de lune très pur d'une nuit étoilée. La marraine revint au secours de la princesse et lui dit :

- *Exige maintenant une robe couleur de soleil.*

Nul n'arrivera à réaliser une telle merveille. Mais le roi donna aussitôt les joyaux les plus beaux, les plus précieux de sa couronne afin que cette robe brille de mille feux.

Et, lorsqu'elle fut achevée, tous ceux qui la virent alors durent baisser les yeux ; elle était aussi éblouissante que le soleil lui-même.

La princesse fut émerveillée par tous ces prodiges et, en même temps, elle redoutait la décision du roi.

Finalement la fée des Lilas lui suggéra :

- *Nous devons exiger beaucoup plus encore, réclame maintenant la peau de cet âne que le roi aime tant et qui est le plus précieux trésor du royaume...*

Mais, hélas, pas un instant le roi n'hésita à sacrifier cette bête extraordinaire pour en offrir la peau à sa fille. La princesse était désespérée. Sa marraine accourut la consoler :

- Voici ce que tu dois faire : tu vas te couvrir de cette peau, sortir du palais et marcher aussi longtemps que tu le pourras. Je veillerai à ce que tes vêtements et tes bijoux, rangés dans un coffre, te suivent sous la terre partout où tu iras. Il te suffira de frapper le sol avec cette baguette magique pour que le coffre apparaisse.

Pars vite maintenant, le temps presse !

La princesse s'enveloppa dans la peau d'âne, se barbouilla le visage de cendre et sortit du palais sans que nul ne l'ait reconnue.

Elle marcha longtemps, très longtemps, jusqu'au royaume voisin, demandant ici et là qu'on lui donne, en échange de quelque travail, un logis et du pain ; mais on la trouvait si répugnante que personne n'en voulait.

Une fermière enfin l'accepta pour les tâches les plus ingrates : laver les torchons, nettoyer l'auge des cochons.

Les autres domestiques se moquaient de son allure, et on la surnomma « Peau d'âne ».

Un jour, elle aperçut son reflet dans l'eau d'une fontaine :

- *Comment ai-je pu devenir aussi laide, aussi sale, aussi repoussante ?*

Alors elle se baigna longuement dans l'eau claire.

Le lendemain était un dimanche ; Peau d'âne, dans sa petite chambre, frappa le sol de sa baguette magique : aussitôt, le coffre apparut. Elle choisit d'essayer la robe couleur du temps. Quand elle l'eut enfilée, toute la pièce sembla soudain illuminée par sa beauté. La jeune fille, émerveillée, décida que chaque dimanche elle s'accorderait le plaisir de s'habiller en princesse.

Et justement, un dimanche, alors que Peau d'âne portait sa robe couleur de lune, le prince de ce royaume fit une halte à la ferme. Il était si intelligent et beau que tout le monde l'aimait. Après le déjeuner, il voulut visiter les lieux. Comme il était très curieux, il fut attiré par une porte fermée, dans un coin sombre et à l'écart.

Il s'approcha, intrigué, regarda par le trou de la serrure et, là, il fut saisi par la beauté rayonnante de la princesse si richement parée.

Il s'éloigna, tout rêveur, et demanda qui vivait là. Il apprit avec un grand étonnement que c'était une misérable servante du nom de Peau d'âne. De retour au palais, le fils du roi pensa de plus en plus à cette éblouissante jeune fille, au point de ne bientôt plus pouvoir faire autre chose, et il finit par en tomber malade.

Mais nul ne pouvait dire de quelle mystérieuse maladie il souffrait. Sa mère, la reine, ne sachant que faire, lui demanda s'il souhaitait quelque chose de particulier qui pourrait l'aider à se rétablir. Le prince lui répondit dans un soupir que son plus cher désir serait que Peau d'âne, la servante, lui prépare un gâteau.

On courut prévenir cette Peau d'âne au fin fond de la ferme. Elle était ravie de pouvoir faire plaisir à ce prince qu'elle avait peut-être aperçu elle aussi. Vite, elle se changea et s'efforça de mettre tout son savoir-faire à préparer ce gâteau. Elle s'appliqua tant que la bague qu'elle portait au petit doigt glissa dans la pâte.

Le fit-elle exprès ? Peut-être... Toujours est-il qu'elle l'y laissa.

Le jeune prince trouva que c'était le plus délicieux des gâteaux qu'il avait jamais dégustés. Il s'en délecta de joyeux appétit mais, soudain, il se mit à tousser et faillit s'étouffer.

Il retira alors de sa bouche la bague et sut dans l'instant qu'elle ne pouvait aller qu'au plus joli petit doigt du monde. Il la cacha sous son oreiller, puis rêva si intensément de Peau d'âne que sa fièvre grimpa dangereusement.

Les docteurs accourus à son chevet, s'accordèrent pour dire qu'il ne pouvait s'agir que d'une seule maladie : l'amour. Le roi et la reine, inquiets, promirent à leurs fils d'accepter qu'il épouse la jeune fille de son choix si cela pouvait enfin le guérir, mais le prince leur répondit qu'il aimerait simplement épouser la jeune fille à qui irait cette bague. On convoqua donc aussitôt toutes les filles à marier du royaume pour leur faire essayer la petite bague. Les princesses vinrent en premier, puis les duchesses, les baronnes et les marquises, puis toutes les dames de la cour, toutes les autres jeunes filles, jusqu'aux cuisinières et aux bergères !
Pas une seule ne parvint à glisser son petit doigt dans la bague.

- A-t-on pensé à faire venir aussi cette « Peau d'âne » qui m'a fait il y a quelque temps ce gâteau ? dit enfin le jeune prince.

Comme on lui fit remarquer qu'elle n'était qu'une servante, il répliqua :

- Il n'y a aucune raison de la laisser à l'écart pour cela.

Peau d'âne, qui avait appris ce qui se passait au palais, attendait dans une fébrile impatience, et son cœur bondit dans sa poitrine lorsqu'elle entendit qu'on venait la chercher.

Elle prit un bain parfumé, mit sa robe couleur de soleil, ses plus beaux bijoux, se coiffa avec élégance et dissimula tout cela sous sa fameuse peau d'âne.

Quand elle fut devant le prince, il lui dit :

- Ce n'est pas vous qui habitez dans ce recoin obscur, derrière la basse-cour ?

- Si, noble seigneur.

- Alors, montrez-moi votre main.

Lorsque la main la plus fine, la plus pure, la plus délicate sortit de cette vilaine peau d'âne, tout le monde retint son souffle ; la bague s'ajusta sans peine au plus joli petit doigt du monde et la princesse, laissant alors glisser sa peau de bête, apparut dans toute sa splendeur. Sa robe, couleur de soleil, illumina toute l'assemblée.
Le prince, fou de bonheur, la serra sur son cœur.

Puis, dans un somptueux carrosse, la fée des Lilas arriva pour raconter à l'assistance toute l'histoire.

Dès le lendemain, on prépara les noces. Les rois des pays voisins furent tous invités et le père de la princesse s'y rendit en compagnie de sa nouvelle épouse ; il reconnut sa fille, lui demanda pardon et l'embrassa tendrement avec des larmes plein les yeux. Les jeunes mariés vécurent de longues et heureuses années.

Souvent on pria la princesse de faire un de ces divins gâteaux dont elle avait le secret, mais jamais la bague que le prince lui avait passée au doigt pour la vie ne glissa dans la pâte.

Fin